ᐃᓗᑦᑏᑦ
ILUTTIIT
SHAPES

ᐊᒻᒪᓗᑭᓵᖅ

ammalukisaaq

circle

ᑐᒥᐅᔭᖅ

tumiujaq

oval

ᑭᑉᐹᕆᑦᑐᖅ

kippaarittuq

square

ᑭᑉᐹᕆᒃᑐᑯᑖᒃ

kippaariktukutaak

rectangle

ᖁᐊᒡᔪᒑᖅᑐᖅ

quagjugaaqtuq

triangle

ᖃᒃᓱᖕᒐᒡᕕᙴᒍᐊᖅ

qaksungagvinnguaq

diamond

ᐅᓪᓗᕆᐊᙳᐊᖅ

ulluriannguaq

star

Nunavummi